강수

뛰어난 문장력으로 삼국 통일을 돕다

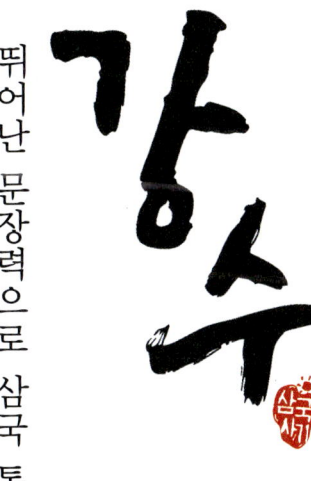

원작 김부식 **글** 구들 **그림** 김가희 **감수** 최광식

신라의 어느 집 마당에 한 남자가 초조한 듯 서성거렸어요.
남자의 이름은 석체로, 신라로 옮겨 온 가야 사람이었지요.
환하게 불이 켜진 방에서는 석체 아내의 신음 소리가 몇 시간째 흘러나왔어요.
"왜 이리도 늦을꼬?"
마음이 급해진 석체가 방 안으로 들어가려는 순간
석체 아내의 비명 소리가 들리더니 이내 우렁찬 갓난아이의 울음소리가 들렸어요.
그제서야 석체는 안도의 한숨을 쉬었지요.
하지만 아이가 태어났다는 기쁨도 잠시,
아이를 본 석체는 깜짝 놀랐어요.
아이를 받아 준 산파*도 놀라서 입을 다물지 못했지요.
"내 생전 이렇게 생긴 아이는 처음이야. 아이 뒷머리가 툭 튀어나왔잖아!"
정신을 차린 석체 아내도 아이의 머리를 보고 겁이 났어요.
"실은 아이를 갖기 전 꿈에서 뿔 달린 사람을 보았는데…….
그것과 우리 아이가 무슨 상관이 있는 걸까요?"

*산파 : 아이를 낳을 때 아이를 받고 산모를 도와주는 여인

튀어나온 머리를 빼면 아이는 다른 아이들과 다를 게 없었어요.

하지만 석체 부부는 마음을 놓을 수가 없었지요.

석체 부부는 머리가 튀어나왔다는 뜻으로 아이 이름을 '강수'라고 지었어요.

석체는 고민 끝에 마을에서 학식이 깊은 노인을 찾아갔어요.

그러고는 포대기에 싸인 강수를 보이며 말했지요.

"이 아이의 머리 좀 보십시오. 뒷머리가 이렇게 튀어나왔지 뭡니까?

도대체 머리가 왜 이렇게 생긴 걸까요?"

노인은 강수를 유심히 들여다보았어요.

"예로부터 크게 될 사람은 보통 사람들과 다른 모습을 가지고 태어난다네.

중국 전설 속의 왕 복희씨는 호랑이의 형상*이었고,

여왕 여와는 사람의 얼굴에 뱀의 몸을 하고 있었지.

이 아이는 머리만 튀어나온 것이 아니라 머리에 사마귀도 나 있으니

반드시 큰 인물이 될 것이네.

그러니 걱정 말고 아이를 잘 키우도록 하게."

집으로 돌아온 석체는 아내에게 노인이 해 준 말을

그대로 전했어요.

"앞으로 큰 인물이 될 아이라고 했으니

이젠 안심해도 될 것 같소."

이 아이가 장차 신라 최고의 문장가로 이름을 떨친,

강수랍니다.

*형상 : 사물의 생긴 모양이나 상태

5

어느 날, 외출했다 집으로 돌아오던 석체는
강수가 마을 선비들에게 둘러싸여 있는 것을 보았어요.
석체는 불안한 마음에 얼른 그곳으로 달려갔어요.
"내가 이 아이의 아버지 되는 사람인데, 무슨 일이오?"
그러자 선비들이 흥분된 목소리로 대답했어요.
"아이의 실력이 하도 신통해서 시험해 보고 있었습니다."
강수는 선비들이 묻는 한자는 물론 어려운 책도
줄줄 읽는 것이었어요.
그 모습을 본 석체는 입이 떡 벌어졌어요.
석체는 강수가 너무 어려 글을 가르친 적이 없었어요.
"우리도 읽지 못하는 어려운 책을 줄줄 읽어 내려 가다니
이 아이는 신동임이 분명합니다."
"강수야! 너는 글을 배운 일이 없는데, 이게 어떻게 된 일이냐?"
그러자 강수가 석체를 보며 말했어요.
"아버지께서 글 읽으시는 것을 어깨 너머로 보고는
따라 읽은 것뿐이에요."
선비들은 강수를 보며 놀라워했지요.
"될 성 부른 나무는 떡잎부터 알아본다는 말이 있습니다.
이 아이는 반드시 훌륭한 문장가가 될 것입니다."

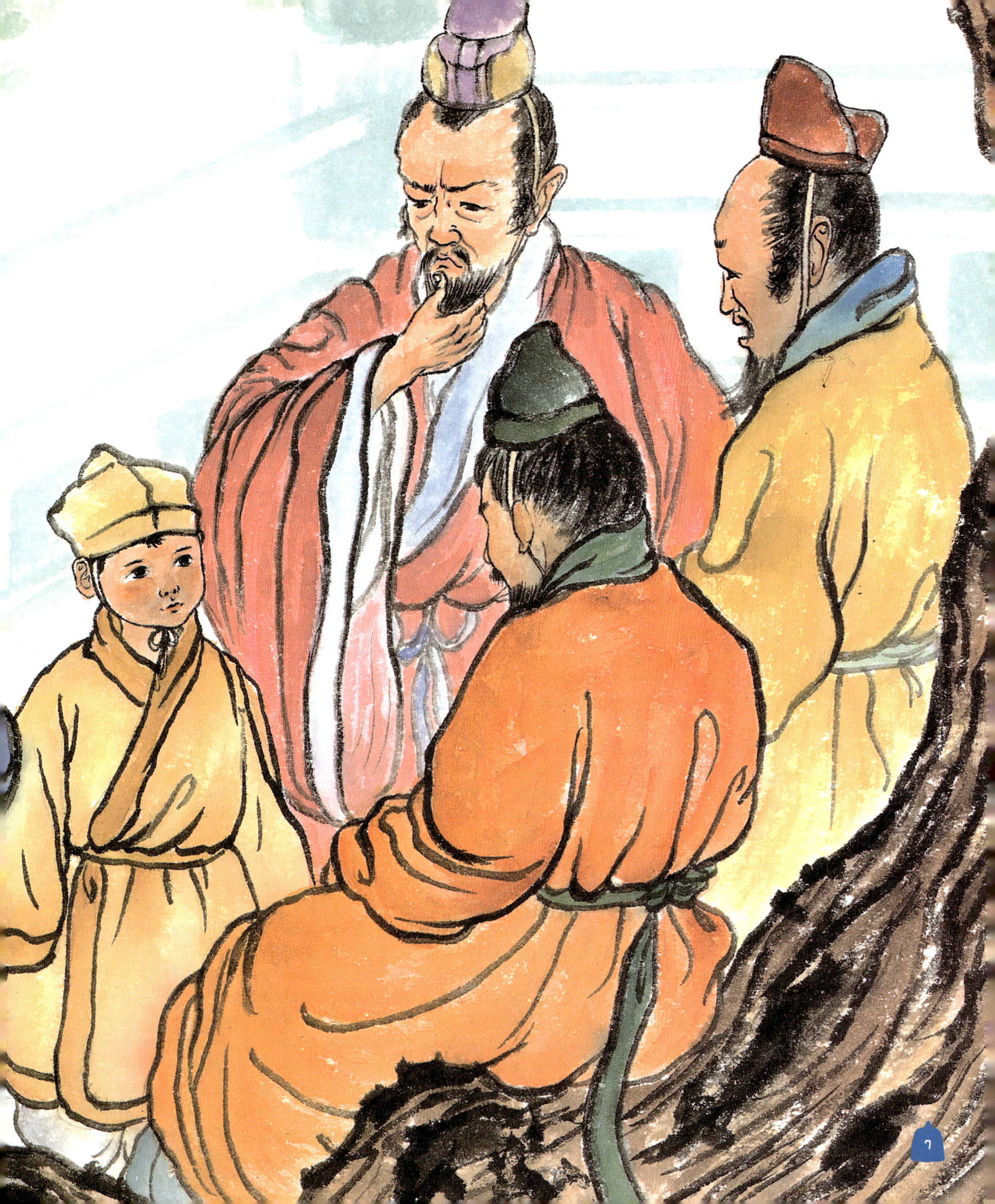

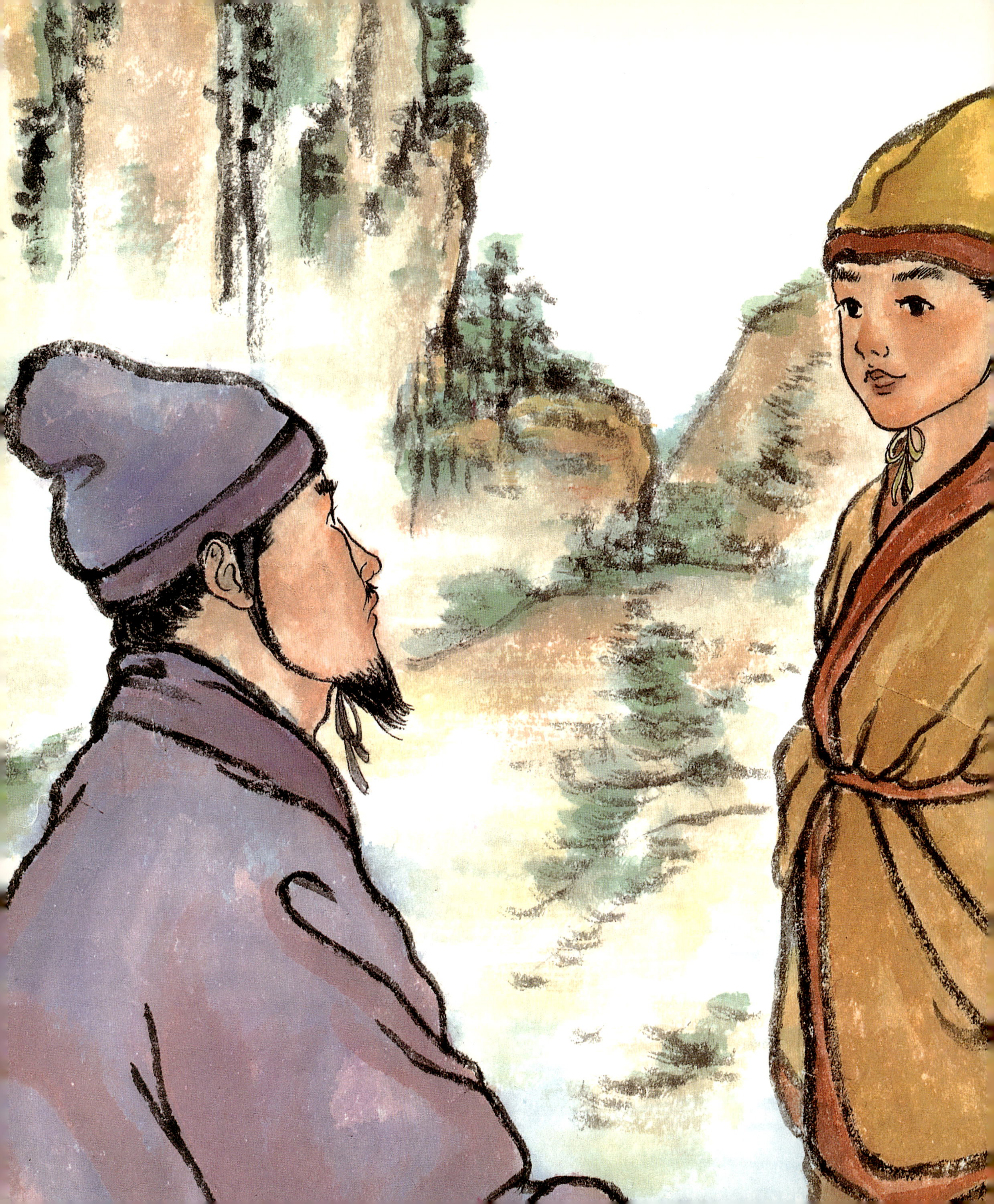

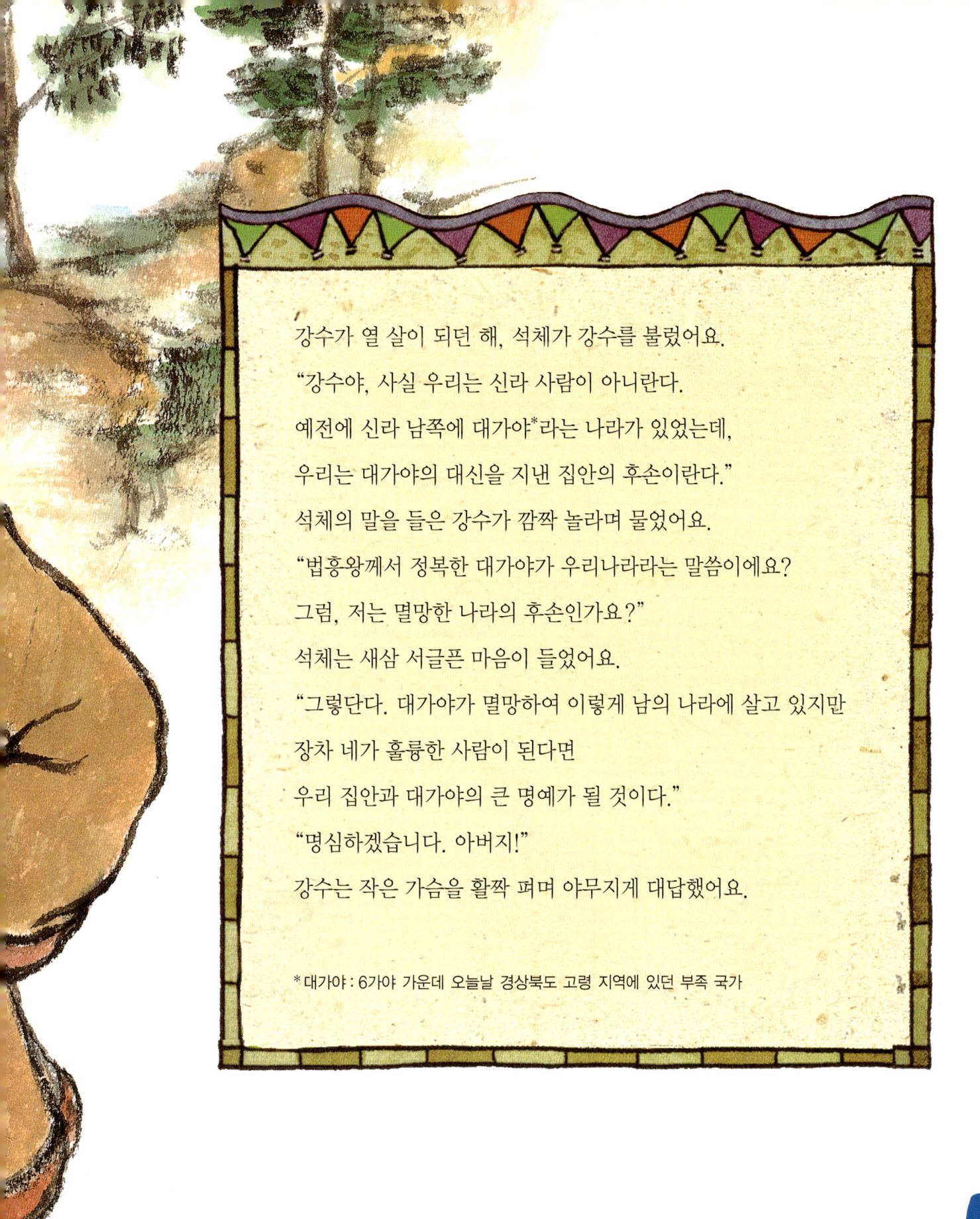

강수가 열 살이 되던 해, 석체가 강수를 불렀어요.

"강수야, 사실 우리는 신라 사람이 아니란다.
예전에 신라 남쪽에 대가야*라는 나라가 있었는데,
우리는 대가야의 대신을 지낸 집안의 후손이란다."

석체의 말을 들은 강수가 깜짝 놀라며 물었어요.

"법흥왕께서 정복한 대가야가 우리나라라는 말씀이에요?
그럼, 저는 멸망한 나라의 후손인가요?"

석체는 새삼 서글픈 마음이 들었어요.

"그렇단다. 대가야가 멸망하여 이렇게 남의 나라에 살고 있지만
장차 네가 훌륭한 사람이 된다면
우리 집안과 대가야의 큰 명예가 될 것이다."

"명심하겠습니다. 아버지!"

강수는 작은 가슴을 활짝 펴며 야무지게 대답했어요.

* 대가야 : 6가야 가운데 오늘날 경상북도 고령 지역에 있던 부족 국가

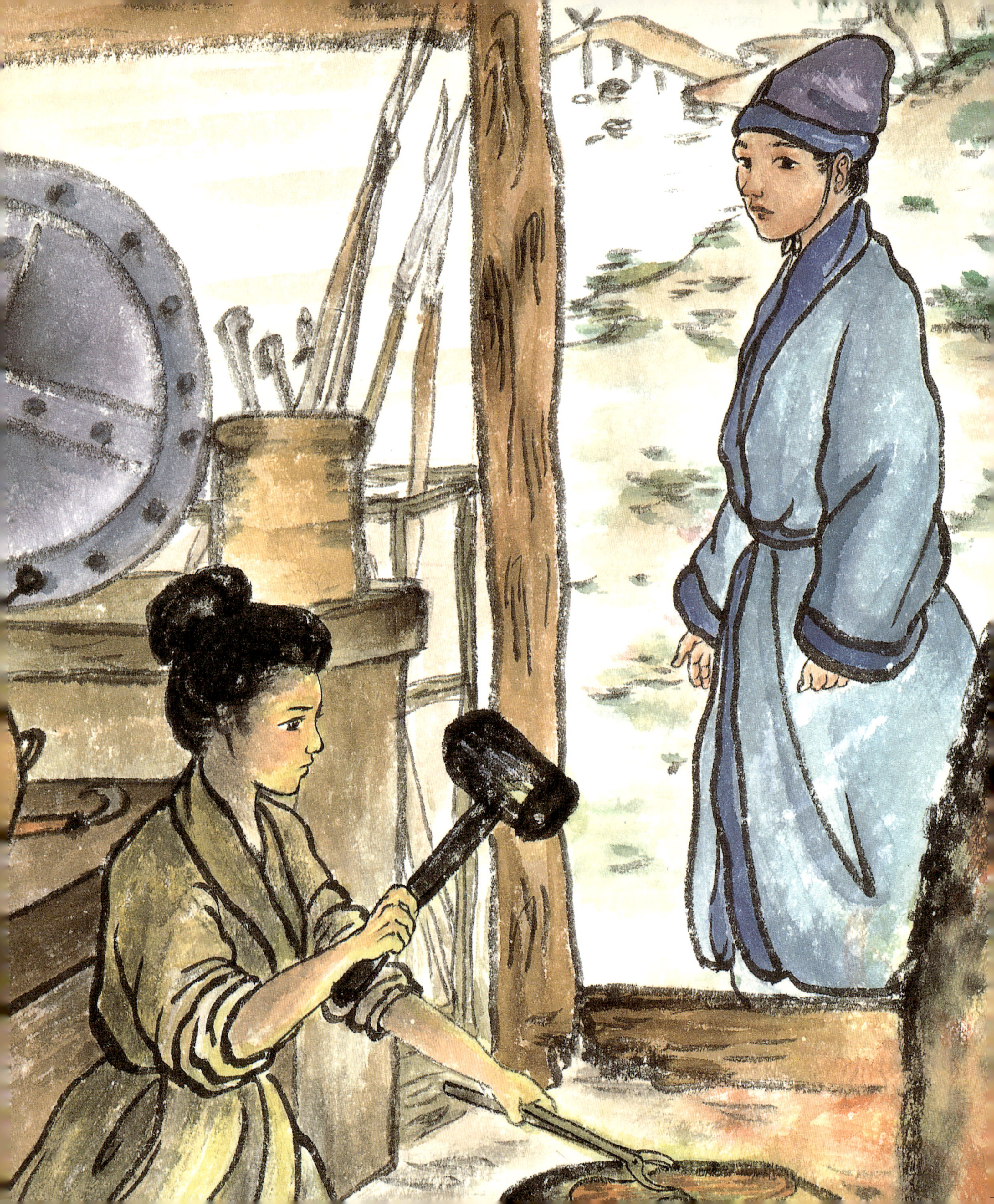

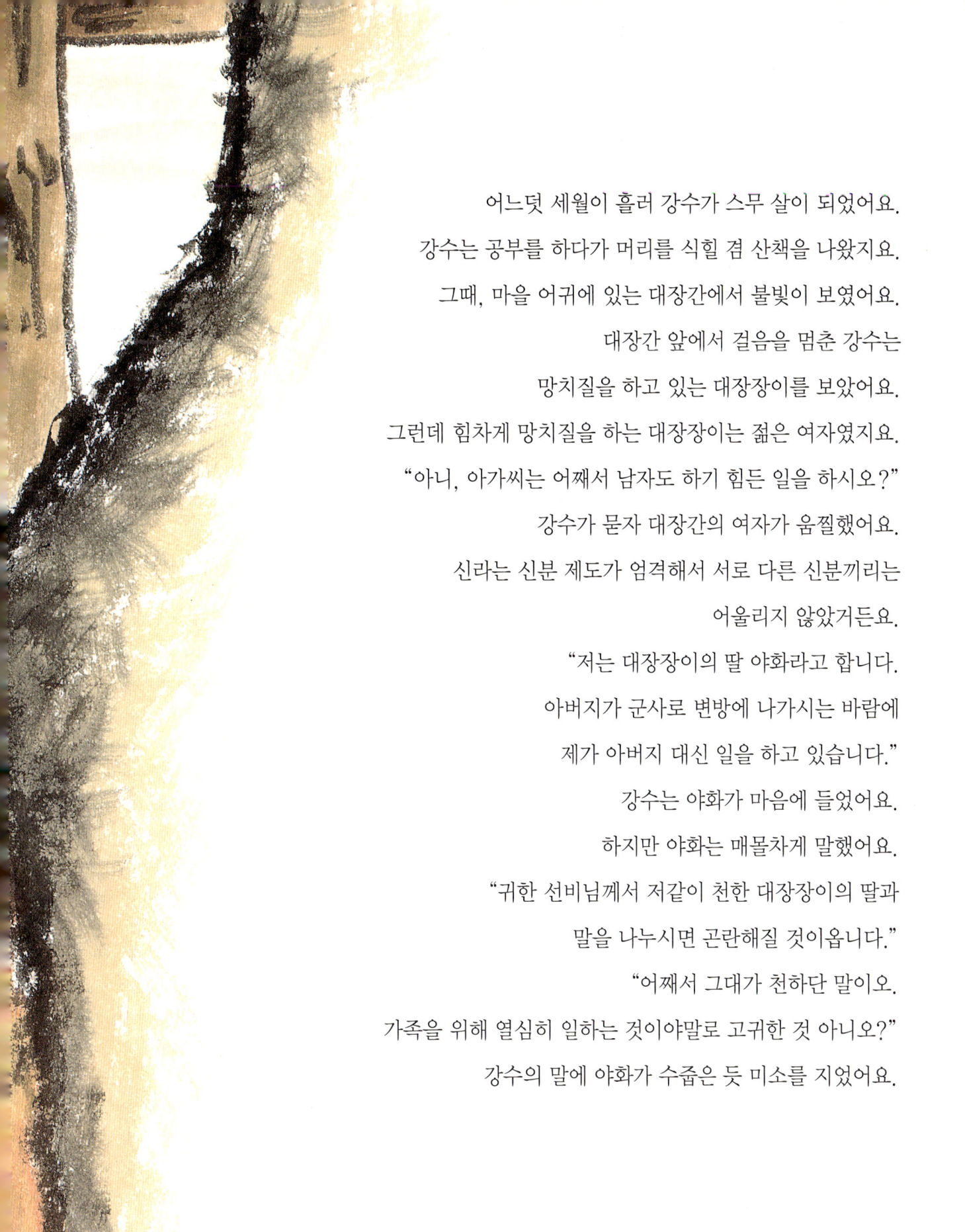

어느덧 세월이 흘러 강수가 스무 살이 되었어요.
강수는 공부를 하다가 머리를 식힐 겸 산책을 나왔지요.
그때, 마을 어귀에 있는 대장간에서 불빛이 보였어요.
대장간 앞에서 걸음을 멈춘 강수는
망치질을 하고 있는 대장장이를 보았어요.
그런데 힘차게 망치질을 하는 대장장이는 젊은 여자였지요.
"아니, 아가씨는 어째서 남자도 하기 힘든 일을 하시오?"
강수가 묻자 대장간의 여자가 움찔했어요.
신라는 신분 제도가 엄격해서 서로 다른 신분끼리는
어울리지 않았거든요.
"저는 대장장이의 딸 야화라고 합니다.
아버지가 군사로 변방에 나가시는 바람에
제가 아버지 대신 일을 하고 있습니다."
강수는 야화가 마음에 들었어요.
하지만 야화는 매몰차게 말했어요.
"귀한 선비님께서 저같이 천한 대장장이의 딸과
말을 나누시면 곤란해질 것이옵니다."
"어째서 그대가 천하단 말이오.
가족을 위해 열심히 일하는 것이야말로 고귀한 것 아니오?"
강수의 말에 야화가 수줍은 듯 미소를 지었어요.

어느 날, 석체가 강수를 방으로 불렀어요.
"너도 이제 배필을 맞아 혼인할 때가 되었다. 네 어머니와 의논하여
용모가 곱고 행실이 바른 처녀를 구해 며느리로 삼으려고 하니 그리 알거라."
강수는 조그맣게 한숨을 쉬었어요.
"죄송합니다, 아버지. 저는 이미 혼인하기로 약속한 사람이 있습니다.
마을 어귀에 있는 대장장이의 딸 야화를 아내로 맞고 싶으니 허락해 주십시오."
강수의 말을 들은 석체의 눈이 휘둥그레졌어요.
신분을 중요하게 여기는 신라에서 천한 대장장이와
글을 읽는 선비가 혼인을 한다는 것은 말이 되지 않았어요.
"신분의 구별이 엄격한데 어찌 대장장이의 딸을 아내로 맞으려고 하느냐?"
"가난하고 천한 것은 부끄러운 것이 아닌 줄로 아옵니다.
도리를 배우고도 실천하지 않는다면 어찌 선비라고 하겠습니까?
옛 말씀에 힘들 때 함께 어려움을 겪은 아내는 내쫓지 않고,
가난할 때 사귄 진정한 친구는 잊을 수 없다 하였습니다.
그런데 신분이 다르다고 하여 어찌 서로의 약속을 어길 수 있겠습니까?"
결국 석체 부부는 강수와 야화의 혼인을 허락했어요.

13

강수와 야화의 이야기는 신라 사람들에게 널리 알려졌지요.
첫날밤, 강수는 야화의 손을 살며시 잡았어요.
"나는 선비이기는 하나, 집안이 가난하여 당신을 행복하고
편안하게 해 줄 수는 없을 것 같소.
그래도 괜찮겠소?"
야화는 조용히 미소 지으며 대답했어요.
"서방님께서 저를 귀한 사람으로 만들어 주셨어요.
그저 서방님의 옆에 있는 것만으로 충분합니다."
강수는 야화가 고마웠어요.
"나는 신분이니 명예니 하는 것은 부질없다고 생각하오.
그저 학자로서, 당신의 남편으로서 바르게 살아갈 것이오."
강수와 야화는 서로 꼭 껴안았어요.

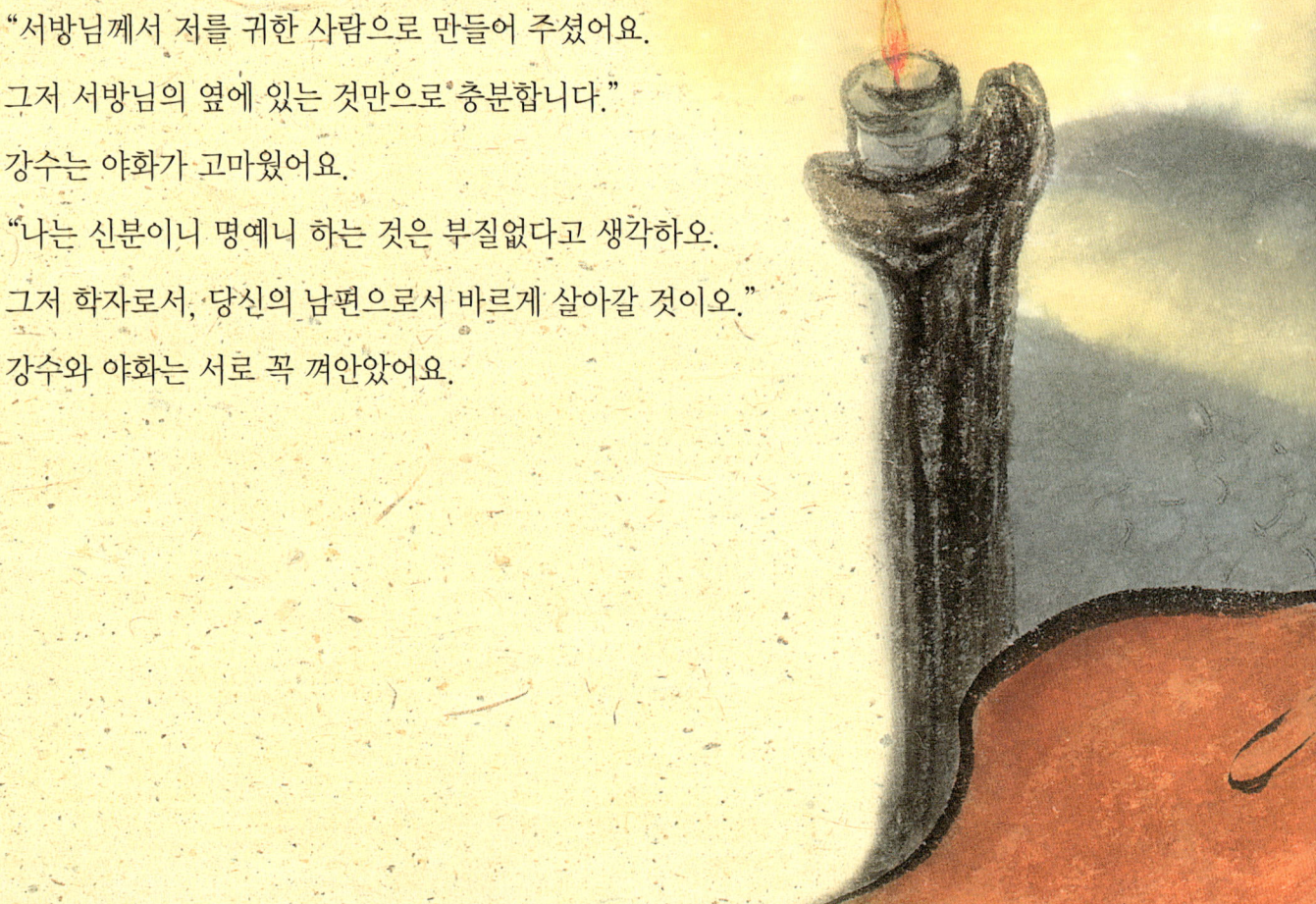

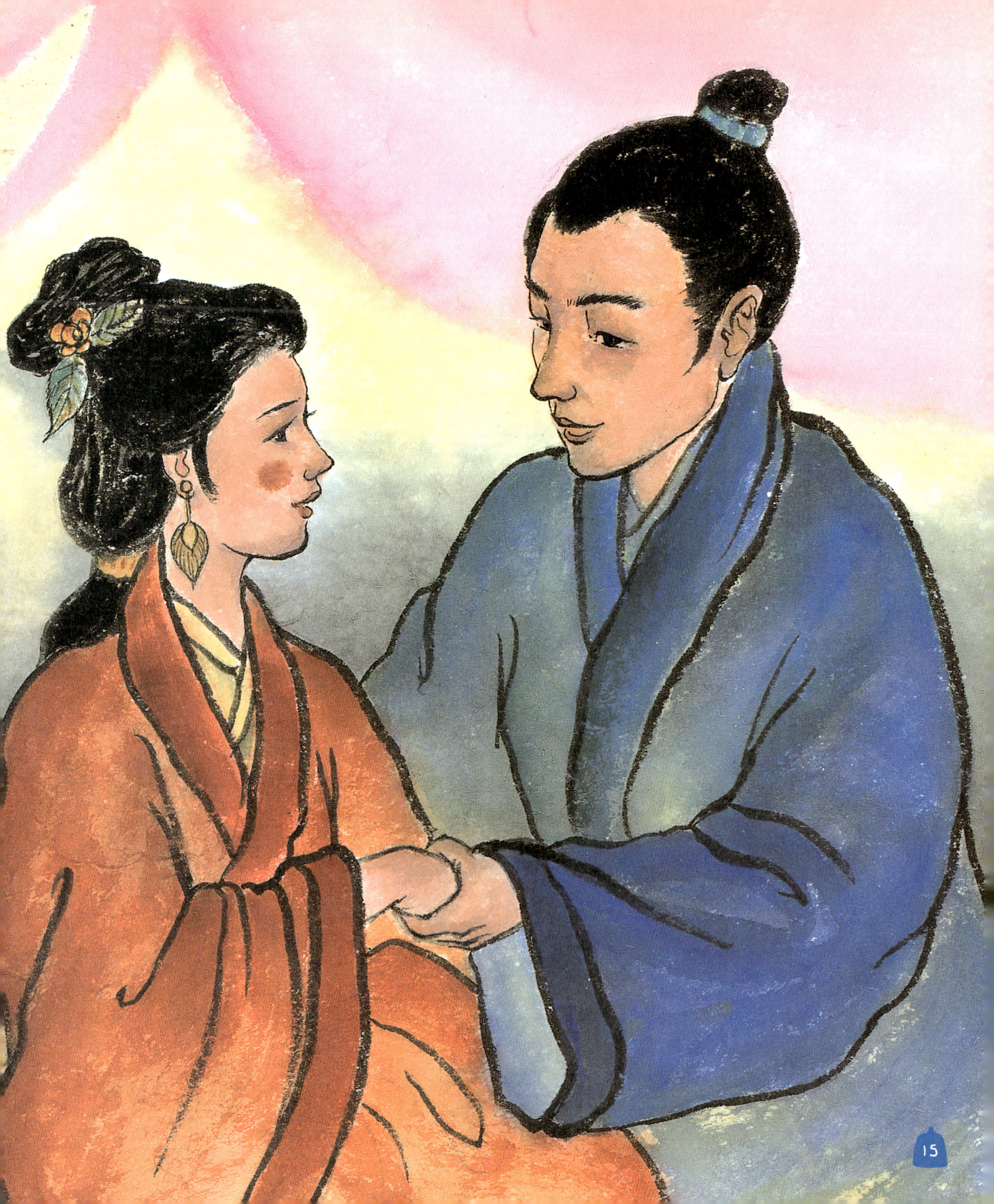

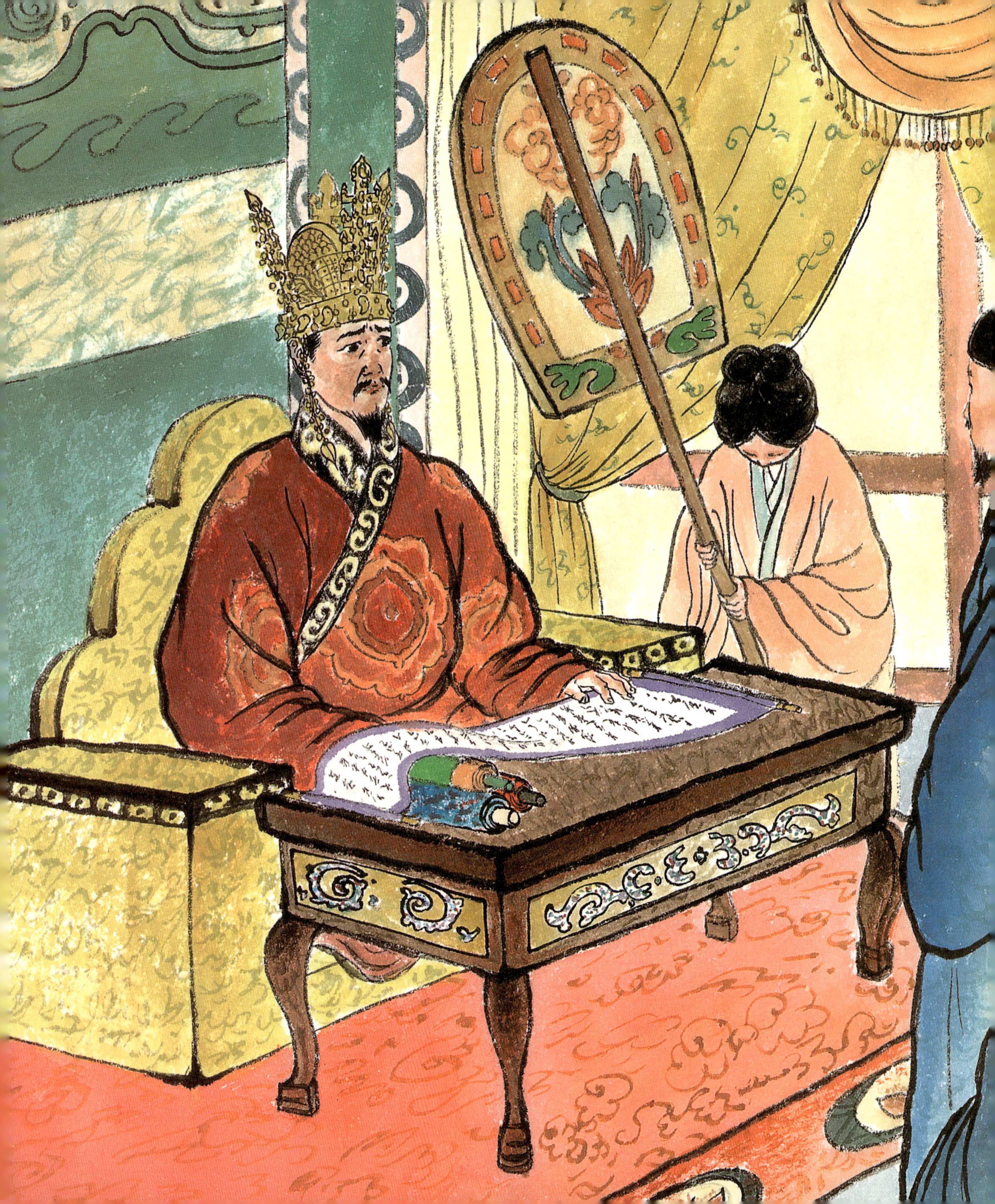

이 무렵, 신라는 어려운 시기를 맞고 있었어요.
신라는 고구려와 백제의 공격에 맞서기 위해
중국 당나라와 손을 잡으려고 애쓰고 있었지요.
그러던 어느 날, 당나라에서 편지 한 통을 보내왔어요.
하지만 편지 글 가운데 이해할 수 없는 부분이 있었고,
대궐의 뛰어난 학자들 가운데서도 뜻을 풀이할 수 있는
사람이 아무도 없었어요.
당나라에서 보낸 편지이니 꼭 답장을 해야 하는데
제대로 풀이를 못 하고 있으니, 태종무열왕은 답답했어요.
"이 나라에 이토록 인재가 없단 말인가?"
신하들은 모두 고개를 들지 못했어요.
그때 한 신하가 조용히 말했어요.
"강수라는 사람의 학문이 뛰어나다고 들었사옵니다.
강수에게 물어보는 것이 어떨지요?"
태종무열왕은 바로 명령을 내렸어요.
"당장 강수를 대궐 안으로 불러오도록 하라."

왕의 부름을 받은 강수는 대궐로 들어왔어요.

"당나라 황제가 보내온 글인데 그대가 그 뜻을

풀이할 수 있겠는가?"

강수는 편지를 받더니 막힘없이 읽기 시작했어요.

태종무열왕과 신하들은 긴장한 눈빛으로 강수를 바라보았지요.

편지를 다 읽은 강수가 환한 얼굴로 말했어요.

"당나라 황제가 폐하께서 왕이 되신 것을 축하한다고 합니다.

또한 앞으로 신라와 당나라가 더 가까워지기를 바란다고

써 있사옵니다."

태종무열왕이 기쁜 얼굴로 말했어요.

"내가 여태껏 그대를 몰랐던 것이 아쉽구려.

그대와 같이 학식이 높은 인재를 알게 되어 참으로 기쁘오.

이번에는 나를 대신하여 당나라 황제에게 답장을 써 주시오."

강수는 그 자리에서 익숙한 붓놀림으로 편지 한 장을 완성했어요.

"이 정도면 되겠습니까?"

강수의 편지를 읽은 태종무열왕은 편지의 내용에 감탄했어요.

그러고는 고개를 끄덕거렸지요.

이제 태종무열왕은 강수의 실력을 믿고 강수를 마음 깊이 아꼈지요.

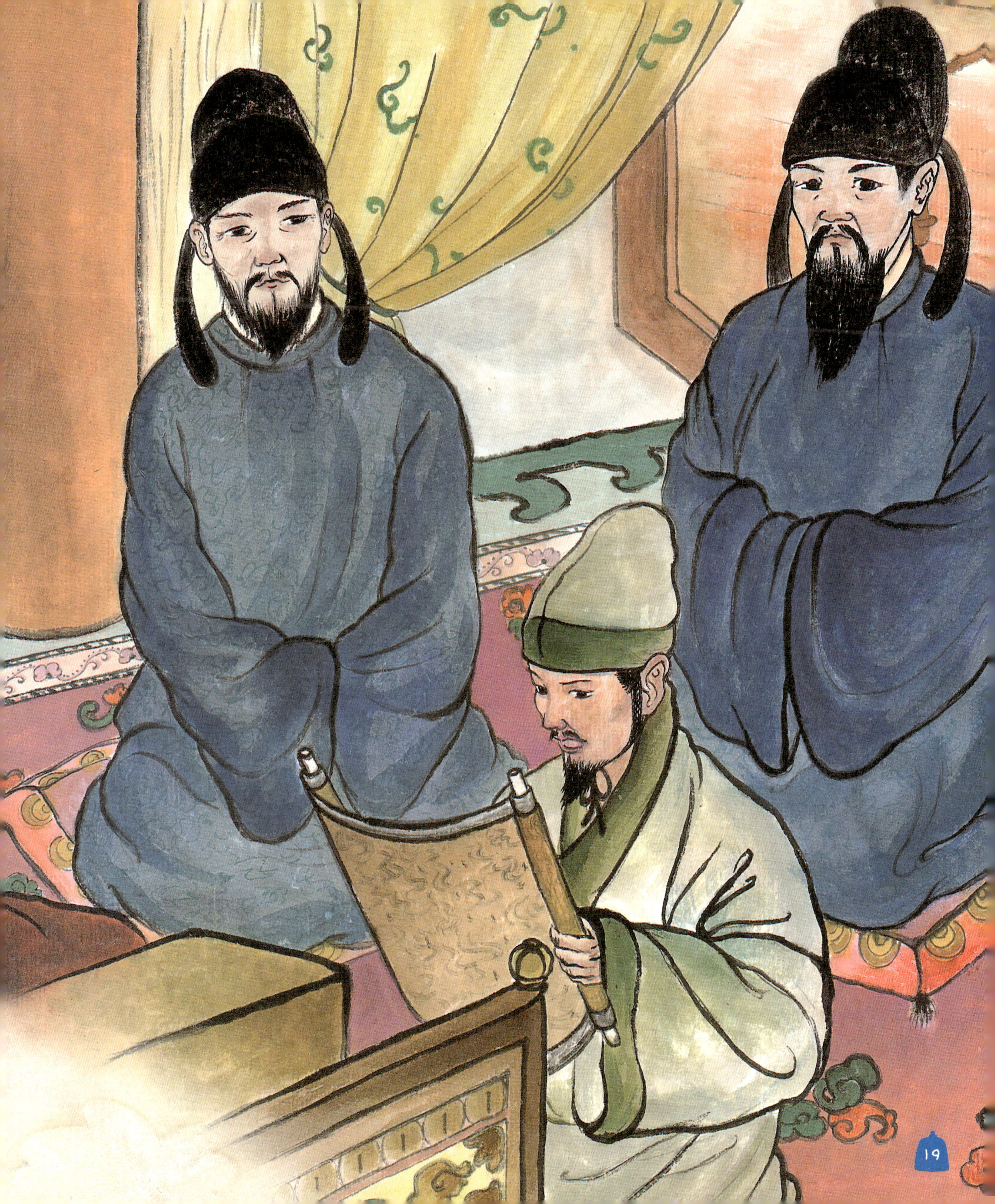

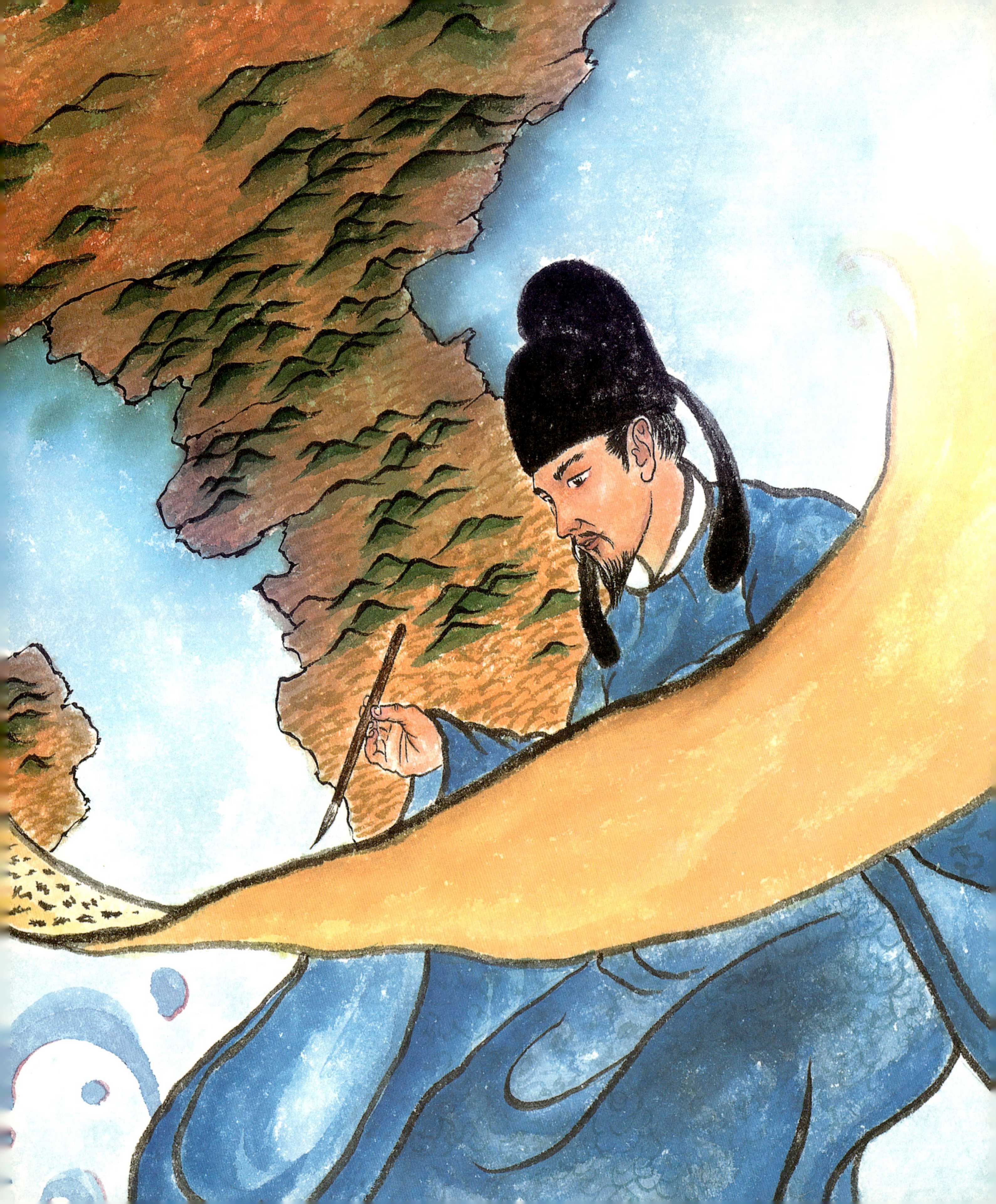

몇 년의 세월이 흘렀어요.
태종무열왕은 삼국 통일의 원대한 꿈을 이루기 위해
고구려와 백제를 정복하고 싶었어요.
하지만 군사력이 약한 신라로서는 엄두를 내지 못했지요.
태종무열왕은 당나라에 도움을 청하기로 하고 강수를 불렀어요.
"그대도 알다시피 우리 신라는 백제와 고구려에 비해 힘이 약하오.
그래서 삼국 통일을 이루려면 당나라의 도움이 꼭 필요하오.
그대가 편지를 써서 당나라 황제의 마음을 움직여 준다면
신라는 당나라군과 손잡고 고구려와 백제를 공격할 수 있소."
강수는 편지를 쓰기 시작했어요.
당나라를 신라의 형님 나라로 치켜세우고는
삼국 통일을 이루려는 신라의 큰 꿈을 알렸지요.
편지를 받아 본 당나라 황제는 강수의 문장에 마음이 움직여
신라에 당나라 군사 13만 명을 보내 주었어요.
당나라의 도움에 힘입어 신라는 백제를 정복했어요.

태종무열왕이 세상을 떠나고 아들 김법민이 뒤를 이어 문무왕이 되었어요.
젊은 문무왕은 한시바삐 고구려를 정복하고 삼국 통일을 이루고 싶어
당나라에 도움을 구했어요.
하지만 신라와 형제처럼 지내던 당나라는 조금씩 거만해지더니
나중엔 당나라를 부모의 나라로 섬기라며 강요를 했어요.
문무왕은 이번에도 강수에게 편지를 쓰게 했어요. 강수는 당나라 황제의
비위를 맞추면서도 신라의 자존심을 지키는 내용으로 편지를 썼어요.

'당나라가 신라의 부모 나라라면 당연히 신라에 지원군을 보내 주셔야 합니다.
자식이 위험에 처했는데 도와주지 않는 부모는 없습니다.
하지만 신라는 당나라의 자식이 될 만큼 약한 나라가 아닙니다.
신라는 당나라의 발전된 모습을 배우려고 노력하는 아우와 같습니다.
그러니 형처럼 너그러운 마음으로 저희 신라를 도와주십시오.'

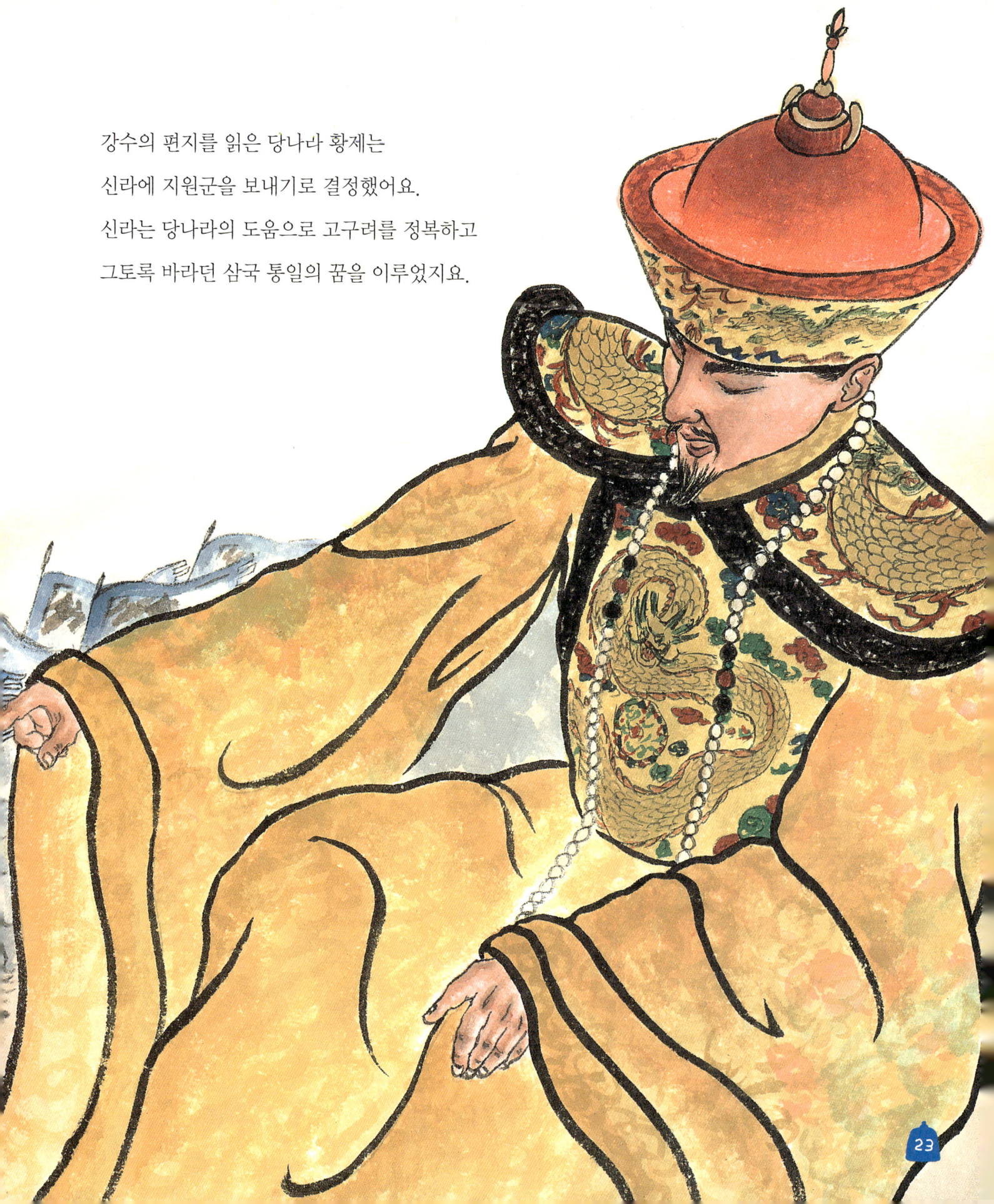

강수의 편지를 읽은 당나라 황제는
신라에 지원군을 보내기로 결정했어요.
신라는 당나라의 도움으로 고구려를 정복하고
그토록 바라던 삼국 통일의 꿈을 이루었지요.

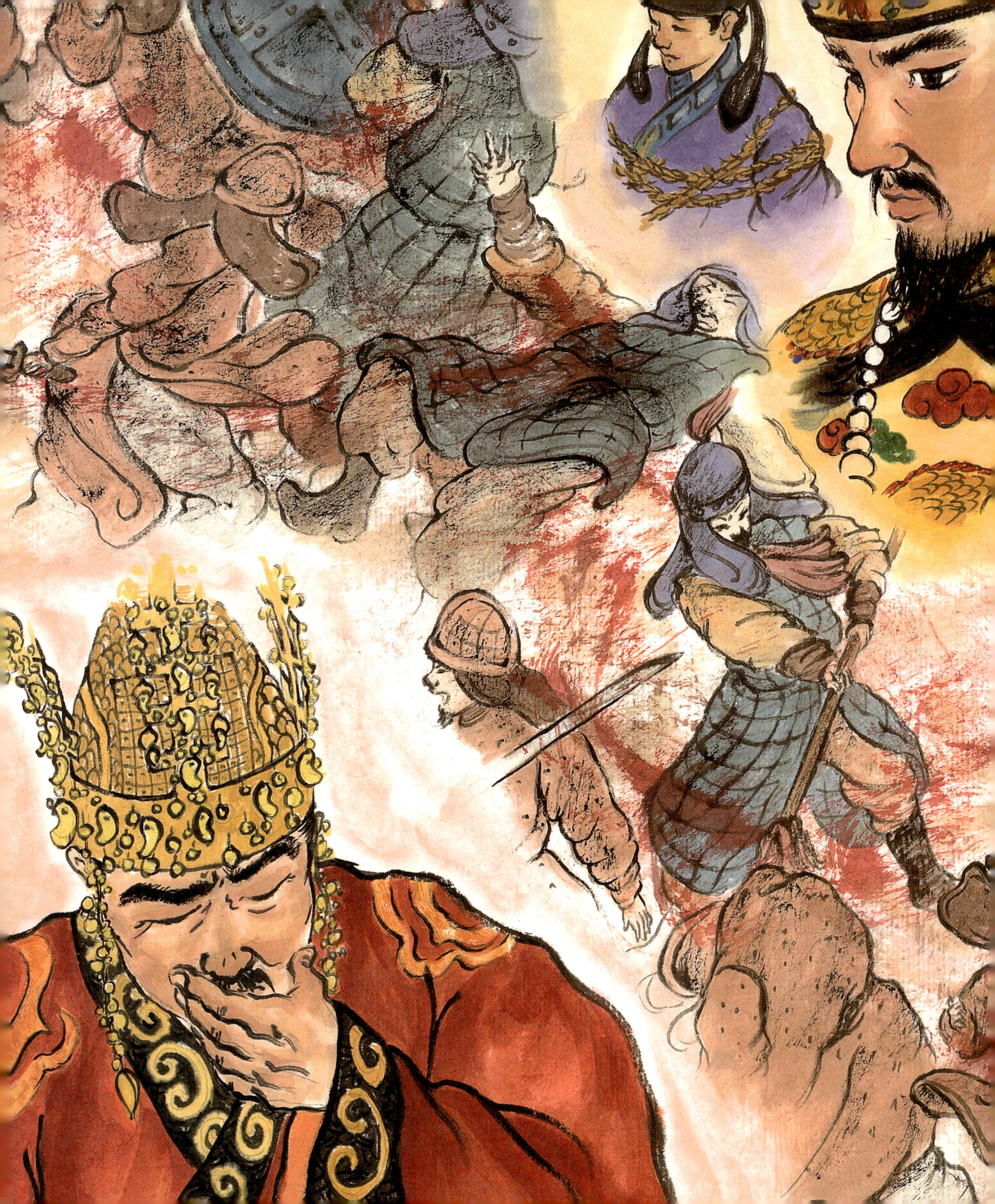

하지만 신라가 해결해야 할 일이 남아 있었어요.
지원군을 보내 주었던 당나라가 고구려의 땅을 강제로 빼앗았기 때문이에요.
"고구려 땅을 되찾지 못하는 한 완전한 통일이라고 할 수 없다."
이렇게 생각한 문무왕이 당나라와 전쟁을 벌이자
화가 난 당나라 황제가 문무왕의 동생 김인문을 인질로 잡았어요.
김인문은 신라와 당나라의 관계를 가깝게 하기 위해 당나라에서 살고 있었지요.
이 소식을 들은 문무왕은 크게 걱정했어요.
강수도 마음이 아팠지요.
그래서 이번에는 문무왕과 김인문을 위해 당나라 황제에게 편지를 썼어요.

'뛰어난 장수는 좋은 무기를 아낍니다.
설령 남의 무기라 할지라도 마찬가지이지요.
이와 마찬가지로 뛰어난 왕은 신하를 아낍니다.
신하가 설령 다른 나라의 신하라 할지라도 그러하지요.
자신의 신하가 그럴진대, 하물며 아우 나라의 신하라면
더 사랑해 주셔야 하지 않겠습니까?'

강수의 편지를 읽고 마음이 풀린 당나라 황제는
김인문을 신라로 돌려보내 주었어요.

그 후, 신라가 당나라와 한창 전쟁을 벌이고 있을 때
당나라 장수 설인귀가 신라군에 편지를 보냈어요.

'살고 싶으면 신라는 그만 항복하라.
그리고 천하의 중심인 당나라를 부모의 나라로 섬기도록 하라.
신라는 당나라의 것이다!'

신라군은 겁에 질리기 시작했어요. 이때, 강수가 설인귀에게 답장을 썼어요.

'당나라군은 고구려와 백제를 치는 동안 우리 신라가 보내 준 식량을 먹었다.
그런데 당나라군은 그것을 벌써 잊었는가?
그대들의 몸은 비록 당나라 땅에서 태어났지만, 신라 땅에서 나는
곡식을 먹었으니 그대들의 피와 살은 신라의 것이라고 할 수 있다.
당나라군이야말로 신라군에게 머리를 조아려야 할 것이다.'

강수의 거침없는 문장에 설인귀는 그만 말문이 막혔어요.
이 소식을 들은 신라군은 용기를 되찾아 열심히 싸웠지요.
편지 한 장이 신라군의 사기를
되살려 놓은 거예요.

27

마침내 신라는 당나라를 이기고 고구려 땅도 되찾았어요.
비로소 완전한 신라의 삼국 통일이 이루어진 거예요.
"그대의 훌륭한 문장이 신라의 삼국 통일을 도운 것이오.
내 어찌 그대의 공을 소홀히 할 수 있겠소?"
문무왕은 강수를 칭찬하며 사찬이라는 벼슬과 상금을 내렸어요.
사찬은 신라의 벼슬 중에 1등급에 해당하는 높은 벼슬이었지요.
하지만 사찬이 된 뒤에도 강수는 여전히 겸손하고 검소했어요.
강수는 문무왕의 뒤를 이은 신문왕, 효소왕에 이르기까지
3대의 왕을 모시면서 나랏일에 관련된 중요한 문서를 썼어요.
강수가 세상을 떠났을 때 나라에서는 강수의 죽음을 슬퍼하며
큰 상금과 값비싼 물건을 내렸어요.
하지만 강수의 아내 야화는 이를 정중히 거절했어요.

"제 남편은 나라를 사랑하는 마음으로 일했을 뿐입니다.

나라를 사랑하는 것은 백성의 당연한 도리입니다.

마땅히 지켜야 할 도리를 지켰을 뿐이니 이런 물건은 받을 수 없습니다."

훌륭한 글 솜씨로 당나라 황제의 마음을 움직이고 더 나아가

삼국 통일을 가능하게 했던 강수, 강수는 뛰어난 문장가이자 진정한 애국자였답니다.

붓 한 자루로 으뜸 외교관이 된

강수

강수는 신라 시대 유명한 학자이자 문장가였습니다.

강수가 태어났을 때 보통 사람과 다르게 뒷머리가 튀어나와 이름을 '강수'라고 지었다고 합니다.

강수가 태어났을 때에는 고구려와 백제가 연합하여 신라를 위협하던 시기였습니다. 그래서 신라는 늘 불안에 떨어야 했지요.

이러한 상황에서 신라는 중국 당나라와 가깝게 지내려고 노력했습니다. 하지만 당나라와 신라는 말과 글이 다르다 보니 당나라에 편지 한 장 보내는 것도 여간 어려운 일이 아니었지요. 그래서 신라에는 당나라 말과 글을 잘 알고 당나라를 설득할 수 있는 재주를 가진 인재가 꼭 필요했습니다.

강수는 신라 제29대 태종무열왕 때, 당나라 사신이 가져온 어려운 외교 문서를 막힘없이 풀이하여 왕의 신임을 얻게 되었습니다. 그리고 그 후에 태종무열왕이 당나라에 지원군을 요청할 때 훌륭한 문장으로 외교 문서를 작성하여 당나라의 도움을 받아 냈습니다.

신라가 삼국 통일을 이루어 낸 데에는 김유신의 용맹함, 태종무열왕과 문무왕의 뛰어난 판단력이 큰 힘을 발휘했지만 무엇보다 당나라와의 관계를 순조롭게 이끌어 갈 수 있도록 노력한 강수의 역할도 컸다고 할 수 있습니다.

「신라의 학자이자 문장가인 강수는 뛰어난 글 솜씨로 삼국 통일을 도왔어요」

기원전 57년	512년	532년	654년	660년	661년	668년
신라 건국	우산국 정복	금관가야 정복	태종무열왕 신라 제29대 왕 즉위	백제 정복	문무왕 신라 제30대 왕 즉위	고구려 멸망